votre **corps** à votre **serv★ce**

Photo de la couverture et photos intérieures:
Les Photos Richard Gauthier Inc.

Maquette de la couverture: Jaoudat Jbeily

Composition et mise en pages: Helvetigraf Enr.

LES ÉDITIONS QUEBECOR
Une division de Groupe Quebecor Inc.
225, rue Roy est
Montréal, H2W 2N6
Tél.: (514) 282-9600

votre **corps** à votre **serv★ce**

Danielle Gagné

EDITIONS

Quebecor

À mon père, Gérard Gagné, à qui je dois
tous les honneurs de ce livre.

REMERCIEMENTS

LINDA MORISSET:
styliste de la revue
Marie-Pier

Conception du costume spécialement adapté pour les mouvements présentés.

CLAUDE LAMBERT:
service de la scénographie, Télé-Métropole

Recherche de tous les accessoires et des schémas de la présentation visuelle.

PIERRE BURON:
réalisateur de l'émission «Science et Technologie», Télé-Métropole

Composition du plan et de la structure technique du livre.

JEAN-PIERRE PAQUIN:
écrivain, auteur du livre *Les Organes de Dieu*

Rédaction et supervision littéraire.

ACCESSOIRES:

M. Bernard Thibault, de Valiquette.
M. Marcel Knafo, de Struc-tube.
M. René Lépine, de Raymond Lépine Inc.

COIFFURE:

M. Michel Godin, maître coiffeur de Coiffure du Village Elle et Lui Enr.

CONSULTANT:

M. Jean-Paul Lacas, JP Art inc.

TABLE DES MATIÈRES

SECTION III — PROGRAMMES-VACANCES ET EXERCISES-SANTÉ

SECTION I

LES TECHNIQUES
DANIELLE GAGNÉ

Introduction

Grâce à mon travail de comédienne, uni à celui de professeur d'éducation physique, j'ai eu la chance de côtoyer des gens de tous les milieux. Au théâtre ou à la radio, en enseignant à l'université, en étant directrice d'un gymnase, vice-présidente au Village olympique du module des loisirs, en présentant des chroniques à la télévision et dans les magazines, en faisant des rapports d'évaluation physique avec des vedettes telles Shirley Théroux, Danielle Ouimet ou encore Michèle Richard... bref, en roulant ma bosse sur mon petit bonhomme de chemin, j'ai rencontré un vaste public que j'ai vite aimé et que j'ai tout de suite essayé de comprendre en l'écoutant.

Un peu victimes, mais aussi un peu par paresse, nous nous retrouvons tous pris au piège dans le modernisme de nos sociétés. Les individus sont confrontés à un monde préfabriqué trop souvent dépourvu de chaleur humaine, un monde qui fait naître des maux physiques de toutes sortes, sans parler de l'isolement psychologique où pèse dans les esprits une solitude redoutée. Nous y sacrifions un peu beaucoup de notre naturel et le grand perdant, dans cette course folle de l'évolution, c'est finalement notre corps.

Nous devons réagir en adoptant une vision fondamentalement positive. En parlant de qualité de vie, en parlant de qualité de nourriture, en parlant... de bonheur. Nous devons réagir en retournant aux sources, à cette valeur tangible qu'est le corps. Il faut apprendre à le réveiller, à se mettre à l'écoute de ses besoins, apprendre comment agir afin de bien l'entretenir.

Votre corps à votre service se veut essentiellement un outil pratique et original où chacun et chacune pourront y trouver une réponse différente mais toujours efficace. Vous avez mal au dos? Vous ressentez des douleurs à la nuque? Vous souffrez d'arthrite ou de rhumatisme, de nervosité ou de constipation? Vous avez un ventre proéminent, quelques rondeurs superflues? Vous trouverez dans ce volume des exercices variés et faciles d'exécution pour chaque partie de votre corps, des exercices nouveaux que vous pourrez même aisément intégrer dans vos actions de tous les jours grâce à la recherche de nouvelles applications de mouvements. En m'attardant aux gestes quotidiens, en effet, j'ai développé une série de mouvements qui se divisent en trois temps: avant, durant et après une situation, cette approche permettant de bien cerner chaque action du quotidien. Soucieuse de respecter les rythmes individuels, la quantité de fois à répéter tel ou tel mouvement est laissée à la discrétion de chacun.

Avec «Les techniques Danielle Gagné» présentées dans ce livre, des techniques minutieusement adaptées à vos besoins, vous obtiendrez toute l'information nécessaire pour acquérir une base indispensable qui vous fera découvrir les mouvements qui vous conviennent, tout en corrigeant certaines mauvaises habitudes.

S'occuper de soi

En ces années où la population est sensibilisée aux bienfaits des exercices et à l'importance de la pratique du sport, il y a tout lieu de se réjouir en constatant que de plus en plus de gens manifestent un intérêt croissant pour les questions ayant trait au corps. Car la meilleure façon de favoriser la liberté de l'esprit, n'est-ce pas justement en apprenant d'abord et avant tout à respecter son corps.

Avec l'avènement des Jeux olympiques, la prolifération de centres sportifs, de centres communautaires et la mise sur pied de différents programmes de conditionnement dans les municipalités, se laisser aller physiquement est de moins en moins pardonnable.

Le corps et l'esprit doivent réapprendre à fonctionner la main dans la main. Chaque corps est un projet en soi dont il faut conquérir la réalisation, conquérir la perfection en se grisant dans le dépassement de ses limites. En y mettant de la bonne volonté, tout est possible et même l'effort devient salutaire parce qu'il transforme l'esprit. Ce qui est bon pour la forme est aussi bon pour le moral. Un corps qui bouge est signe d'une mentalité qui change, se développe et s'épanouit. Rester indifférent à son corps, le condamner à l'inactivité, c'est se priver des possibilités insoupçonnées d'une source d'énergie prodigieuse.

Prendre conscience de son corps, savoir qu'il existe, le sentir et s'en occuper pour être mieux dans sa peau, c'est apprendre à mieux capter ses propres forces instinctives, mais également les forces naturelles dont le corps dépend afin de se ressourcer dans ce grand réservoir d'énergie où naît la vie. En un mot... c'est apprendre à bien s'occuper de soi pour mieux découvrir les autres.

Une nouvelle hygiène

Les mouvements que vous verrez dans ce livre devraient s'intégrer dans votre vie comme une nouvelle hygiène. Au lieu de faire quinze ou vingt minutes par jour d'exercices physiques, vous pouvez incorporer ces mêmes exercices, et des nouveaux, dans les gestes de tous les jours. Rien de plus facile pour chacun de les mettre en pratique. Cette nouvelle application vous réconciliera agréablement avec l'éducation physique rendue de la sorte plus vivante et plus naturelle.

Bien sûr, l'éducation physique n'est pas un remède universel. Pratiquer quotidiennement des exercices ne suffit pas à régler tous ses problèmes. Mais une chose est certaine, cependant. Un corps en pleine forme les supporte beaucoup mieux. Un corps libéré de ses tensions rend l'esprit serein et les problèmes, alors, sont affrontés avec ce calme qui laisse plus facilement filtrer les solutions.

Combattre l'inactivité, faire des exercices physiques qui conviennent à vos besoins et respectent la progression de votre rythme, c'est accomplir le second tiers d'un plan de vie que je vous propose, le premier étant l'acquisition d'une bonne philosophie de vie dont nous avons parlé précédemment en soulignant l'importance de s'occuper de soi. Il nous manque donc un dernier tiers et c'est l'importance d'une bonne alimentation. Manger trop, manger mal, combien de gens sont aux prises avec ce fléau? Une multitude, hélas! Bien ordonner vos repas selon des règles diététiques vous assurera une alimentation équilibrée. C'est primordial, c'est fondamental, comme apprendre à bien respirer, comme passer de bonnes nuits de sommeil.

Voilà donc les trois aspects sur lesquels je vous propose d'axer vos énergies pour entretenir l'harmonie de votre être: bonne philosophie de vie, bonne condition physique et bonne alimentation. Je vous laisse vous débrouiller avec cela en faisant confiance à votre bon jugement.

SECTION II

LE QUOTIDIEN EN MOUVEMENT ET EXERCICES-SANTÉ

Avant le coucher   Muscles jambiers

Récompensez vos jambes…
elles vous ont supporté toute la journée

Allongé au sol à côté de votre lit, coudes appuyés et tirés vers l'arrière, jambes fléchies. Tendez une jambe en la levant au maximum, descendez en la ramenant pliée en position de départ. Recommencez et alternez avec l'autre jambe.

Au lit   **Cuisses**

La ferme intention d'avoir des cuisses fermes…
même au lit

Couché, saisissez à deux mains une cheville et
repliez la jambe en amenant la plante du pied sur le haut
de l'autre cuisse. Faites deux petites pressions en tirant
vers vous et recommencez avec l'autre jambe. Maintenant une bonne nuit de sommeil vous attend… Faites
de beaux rêves.

22

Au réveil   Muscles abdominaux

Avant le petit déjeuner,
faites déjà «plaisir» à votre ventre

Allongé sur le dos dans votre lit, saisissez les cuisses juste avant l'articulation, soulevez-vous jusqu'à vous trouver presque assis. Gardez cette position quelques secondes, puis descendez du lit. Vous voilà en pleine forme pour prendre votre petit déjeuner, le repas le plus important de la journée.

Exercice-Santé   **Le mal de tête**

Un petit mal courant
qu'on peut chasser rapidement

Placez la main droite sur votre front comme si vous
regardiez au loin; avec la main gauche fermée, soutenez
le menton. Poussez la tête vers l'arrière à l'aide du poing
qui presse votre menton vers le haut, tout en faisant de
petites pressions sur le front avec l'autre main.

Avant le jogging
Jambes

Ne courez pas…
après le trouble

Il est important
d'échauffer vos muscles
avant la course. Debout,
pieds joints, bras tendus le
long du corps, saisissez un
genou avec les deux mains
et faites deux petites pressions en ramenant le genou
vers vous; faites le mouvement assez rapidement,
relâchez et recommencez
avec l'autre jambe. Vos
muscles sont bien échauf-
fés? Un, deux, trois… Par-
tez!

25

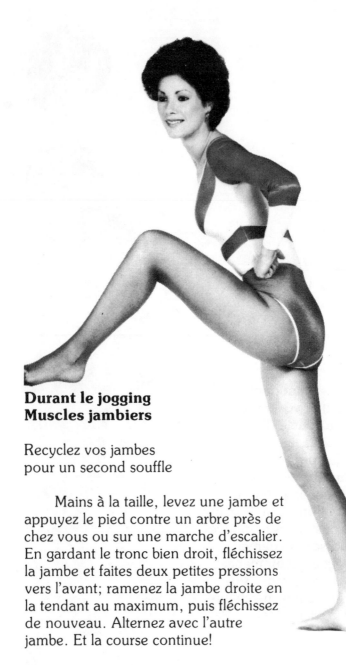

**Durant le jogging
Muscles jambiers**

Recyclez vos jambes
pour un second souffle

Mains à la taille, levez une jambe et
appuyez le pied contre un arbre près de
chez vous ou sur une marche d'escalier.
En gardant le tronc bien droit, fléchissez
la jambe et faites deux petites pressions
vers l'avant; ramenez la jambe droite en
la tendant au maximum, puis fléchissez
de nouveau. Alternez avec l'autre
jambe. Et la course continue!

Après le jogging
Circulation

Ravi de votre séance de jogging,
criez victoire!

Debout, jambes légèrement
écartées, bras tendus à la verticale et
mains fermées. Par mouvements sac-
cadés, fléchissez un coude puis étirez
le bras vers le haut pendant que vous
fléchissez un genou pour aussitôt étirer la jambe vers le côté. Alternez
successivement de gauche à droite.

Exercice-Santé
Les crampes

Massez la jambe
et la crampe décampe

Position debout. Avec l'aide des
deux mains saisissez le pied et repliez
une jambe sur l'autre. Pour échauffer
vos muscles, massez bien le mollet ou
l'endroit où se situe la crampe. Ce
mouvement pour enlever les crampes
peut aussi se faire dans la position
assise.

Avant le bain   **Jambes**

Un bain de santé
commence par un exercice approprié

Assis par terre en appui sur le bout des doigts, une jambe pliée avec le talon près des fesses et une jambe allongée. Fléchissez la jambe pour rapprocher l'autre talon des fesses en amenant les pieds un sur l'autre. Étirez de nouveau la jambe à son maximum, maintenez cette position quelques secondes et changez de côté pour recommencer avec l'autre jambe.

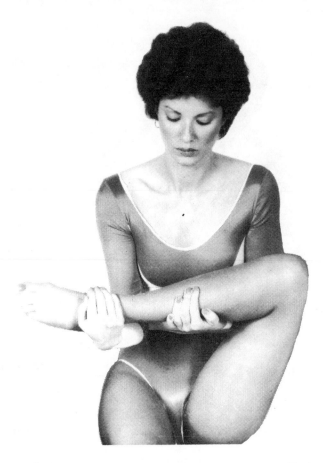

Dans la baignoire   Cuisses

Ramez, ramez... vous vous éloignez
de votre cellulite

En prenant votre bain, assis très droit, saisissez une cheville à deux mains. Faites deux petites pressions en remontant la pointe du pied vers vous, maintenez chaque pression quelques secondes. Relâchez et changez de jambe.

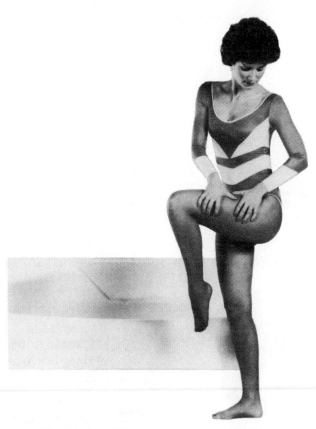

À la sortie du bain   Circulation

Quand les mains sont au service
des jambes

Position debout. Vous allez masser vos cuisses à mains ouvertes sur une serviette, en vous essuyant, ou à mains nues. Des deux mains, massez-vous vigoureusement en remontant du genou vers le haut de la cuisse. Quand vos mains sont fatiguées, interrompez cet exercice qui a une action stimulante sur la circulation.

31

Exercice-Santé
La circulation

Tâtez le pouls
et dites bonjour
à la mauvaise circulation

Bras tendus, saisissez
le poignet vigoureuse-
ment, pliez la main vers
l'arrière et agitez-la vivement comme si vous fai-
siez des saluts. Même
principe avec la jambe: à
deux mains cette fois, saisissez la cheville ferme-
ment et agitez le pied en
tous sens. Ces mouve-
ments stimuleront votre
circulation.

Avant un appel   **Taille**

Gardez la ligne…
gardez la forme

Après avoir empoigné des deux mains le récepteur de téléphone, étirez les bras vers le haut et faites des flexions de gauche à droite avec le tronc.

Au téléphone   Jambes

Vos jambes aussi en ont long
à raconter

Assis durant une conversation téléphonique, saisissez une cheville dans votre main. Étirez la jambe à
votre maximum et changez de jambe. Avec le temps,
vous parviendrez à allonger la jambe jusqu'à extension
complète.

Après un appel   **Dos**

Quand on reste accroché à un appel...

Position assise, poussez le téléphone sur le bureau
ou la table en étirant les bras vers l'avant. L'utilisation de
cet objet vous permettra d'étirer les bras plus loin que si
vous faisiez le même exercice à mains nues. Très bon
pour remettre d'aplomb votre dos fatigué.

Exercice-Santé   L'arthrite et le rhumatisme

Chaleur sur articulations
rend meilleure la sensation

Assis par terre, jambes croisées, genoux superposés. Saisissez un genou à deux mains, les doigts entrelacés, et faites des mouvements circulaires de façon à l'entourer activement. Enveloppez-le avec beaucoup d'ardeur, puis changez la position de vos jambes pour saisir l'autre genou. La chaleur qui se dégagera de ces mouvements vous sera hautement bénéfique pour soulager l'arthrite et le rhumatisme.

Avant de s'habiller
Hanches

Étirez-vous
AVANT sinon…
gare à vos vêtements!

Debout, bras ten-
dus vers le haut, pau-
mes de mains renver-
sées, doigts entrelacés.
Soulevez un côté de la
hanche en montant sur
la pointe du pied et en
tirant les bras vers le
haut. Maintenez quel-
ques secondes, puis
redescendez sur le
talon. Relevez l'autre
hanche au maximum.
Alternez.

En s'habillant   **Équilibre**

Testez votre équilibre près du lit…
on n'est jamais assez prudent

Position debout, levez une jambe et enfilez votre
pantalon, bas de nylon ou chaussette. Reposez le pied
au sol et levez l'autre jambe pour terminer l'opération.
Tout en faisant travailler vos muscles jambiers, cette
façon de vous habiller constitue une excellente habitude
qui vous permettra d'acquérir un meilleur équilibre.

Après s'être habillé   Taille

Petit mouvement pour exercice de taille

Debout, tenez les extrémités de la ceinture avec vos mains au niveau des hanches. En prenant soin de toujours garder la ceinture derrière vous, faites pivoter de gauche à droite les épaules, le tronc et les hanches... sans bouger le bassin qui doit rester fixe.

Exercice-Santé   Les étourdissements

Prenez votre mal en mains
et remettez vos étourdissements à demain

En position, placez vos poings chaque côté des
yeux. Faites de petites pressions et maintenez quelques
secondes. Vous serez surpris de constater l'effet bénéfique de ces mouvements très simples qui vous ramène-
ront vite à la réalité, complètement revivifié.

Avant le repas du midi   **Bras**

Surprenante l'efficacité
de ces petits moments de détente

Avant de quitter le bureau ou à la maison, prenez la position telle qu'indiquée. Fléchissez les coudes en amenant les fesses près du sol, puis remontez. Cet exercice vous fera mieux apprécier votre repas.

Après le repas du midi   **Dos**

L'après-midi commence comme la gamme
... avec le do(s)!

Prenez la position telle qu'indiquée en vous assu-
rant d'avoir le dos bien droit et maintenez-la quelques
secondes. Après cet exercice, vous serez d'attaque pour
affronter une autre tranche de la journée. Bon après-
midi.

Exercice-Santé   **La fatigue**

Stimulez votre corps
et combattez rapidement la fatigue

Position debout, bras tendus vers le haut, doigts
entrelacés avec les paumes de mains renversées. Sur la
pointe du pied, avancez une jambe en avant et fléchissez le genou tout en étirant vos bras le plus possible.
Ramenez la jambe à côté de l'autre et alternez.

Avant de se laver les mains   **Cuisses**

Il n'y a pas d'endroit de prédilection
pour un exercice

Position debout, bras tendus, saisissez à deux mains le rebord du lavabo. Sur la pointe des pieds, fléchissez les jambes sans descendre complètement au sol. Maintenez quelques secondes puis remontez. Cet exercice est excellent pour faire travailler les muscles des cuisses.

En se lavant les mains   **Mains**

Jeu de mains... pas si vilain

Mains jointes, doigts entrelacés. Tordez les doigts dans un mouvement rotatif qui fait se déplacer les paumes de bas en haut alternativement. L'effet de ce massage redonnera à vos mains crispées toute leur agilité.

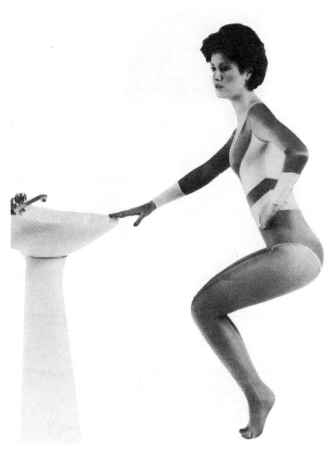

Après s'être lavé les mains   **Muscles jambiers**

O miroir!
Dis-moi qui est en pleine forme?

Prenez la position telle qu'indiquée. Montez sur la pointe des pieds. Descendez jusqu'en bas, accroupi sur les talons, en demeurant toujours sur la pointe des pieds. Remontez et regardez-vous. De jour en jour votre image vous renverra un peu plus de santé.

Exercice-Santé   La nervosité

Quand l'énergie douce
fait disparaître les tensions fortes

Coudes fléchis, levez les avant-bras à la hauteur des épaules. Paume en l'air, abaissez l'autre main à l'intérieur de celle-ci, le bout des doigts décrivant un demi-cercle. Appliquez une forte pression dans le creux de la main, maintenez quelques secondes. Ce simple exercice, facile à faire en toute circonstance, diminuera votre nervosité grâce au transfert d'énergie qu'il opère.

Avant d'ouvrir la télé

Cuisses

Hypnotisé par la télé,
câblez-vous sur votre santé

À genoux, buste droit, les bras et les mains tendus en avant, poussez le tronc vers l'arrière. Maintenez la position quelques secondes et revenez en position droite. Maintenant allumez votre téléviseur.

En regardant la télévision   **Cou-Dos**

À poste intéressant, posture originale

Position assise. Étirez votre corps en envoyant un bras allongé vers l'arrière. Maintenez la position quelques secondes, revenez droite, puis recommencez avec l'autre bras. Très bon pour vous dégourdir.

Après une émission télévisée   Muscles dorsaux

Votre émission terminée,
parlez-en à vos muscles dorsaux

Assis, les bras croisés vers l'avant. Dans cette position, projetez les coudes le plus loin possible vers l'arrière en faisant passer vos bras croisés par-dessus la tête. Maintenez quelques secondes, puis ramenez les bras croisés vers l'avant. Allez ensuite éteindre votre téléviseur.

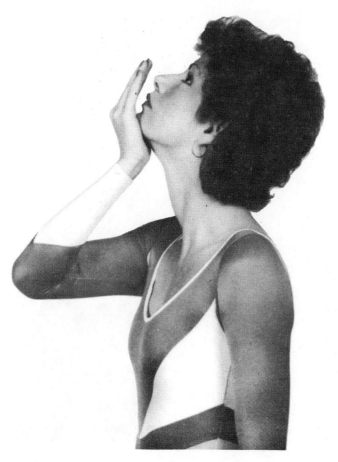

Exercice-Santé   **Les douleurs de la nuque**

Poussez votre lourde tête,
elle deviendra légère

Placez le menton dans le creux de votre main. Poussez-le vers l'arrière le plus loin possible en gardant les doigts à proximité du nez. Très efficace pour diminuer les douleurs de la nuque.

Avant le petit déjeuner   **Taille**

Qu'importe le fruit que vous preniez,
c'est le fruit de votre exercice qui compte!

Position debout, jambes écartées, bras tendus
au-dessus de la tête, mains réunies ou tenant un fruit.
Faites de bonnes flexions d'un côté puis de l'autre. Voilà
une excellente mise en train pour vous ouvrir l'appétit.

Durant le petit déjeuner   **Yeux**

Une recette de santé
qu'il faut garder jalousement

Assis à table, regardez à gauche et à droite alternativement, promenez les yeux. À retenir... entre autres
pour les matins difficiles où vous avez besoin d'un petit
coup de pouce pour bien vous réveiller.

Après le petit déjeuner **Muscles jambiers**

Tenez le haut de la chaise
et pensez au bas du dos

Mains en appui sur le dossier d'une chaise, une
jambe pliée, le pied sur le siège. Montez sur la pointe des
pieds au maximum, maintenez quelques secondes, puis
descendez. Changez de jambe.

Exercice-Santé
La constipation

Pétrissez des deux mains
et libérez vos intestins

Si vous avez des problèmes de
constipation, prenez l'habitude de
palper régulièrement votre ventre
au niveau des intestins. Faites des
pressions dessus, pétrissez-le éner-
giquement avec les doigts comme
s'il s'agissait d'une pâte.

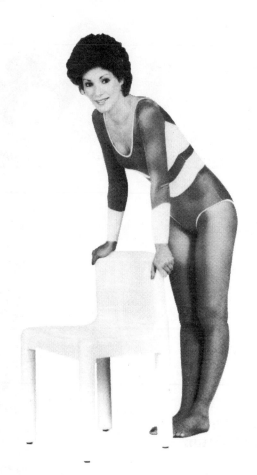

Avant le repas du soir   Mollets-Pieds

Tout exercice a une bonne faim

Position debout, les mains en appui sur le dossier d'une chaise. Montez sur les talons, maintenez cette position quelques secondes, puis descendez. Ce mouvement activera la circulation sanguine dans vos jambes. Bon appétit.

En mangeant   **Enlever la tension**

Mains à plat pour n'importe quel plat

Pendant que vous mangez, lorsque vous avez une main inactive (ou les deux), prenez l'habitude de la (les) laisser reposer à plat sur la table. Ce simple geste vous apportera un calme bénéfique et contribuera à faire de votre repas un moment de détente privilégié. Excellente règle à suivre pour les amateurs de paix intérieure.

57

Après le repas du soir   **Bras-Buste**

À chacun sa façon de lever le coude

Assis à table, le dos bien droit, bras fléchis, placez le
bout des doigts sur vos épaules. Les coudes se rejoi-
gnent et s'éloignent, les doigts restant toujours aux
épaules. Et vous voilà prêt à sortir de table.

Exercice-Santé **Après un régime**

Se rouler dans une énergie nouvelle

Allongé sur le dos, les bras croisés sur la poitrine. Roulez le corps pour aller à gauche, puis à droite, en revenant sur le dos entre chaque roulade. Recommencez plusieurs fois. Cet exercice vous aidera à retrouver vos forces après avoir suivi un régime alimentaire.

Avant de s'asseoir   Chevilles-Jambes

La chaise qui vous supportera
a besoin d'appui

Position debout, les mains en appui sur le dossier
d'une chaise. Montez sur la pointe des pieds, maintenez
quelques secondes, puis descendez.

Assis   **Dos**

Tanguez sur votre chaise
si le voyage est trop long

Assis, dos bien droit, saisissez la base du dossier de
la chaise. Projetez le haut du corps vers l'avant, maintenez cette position quelques secondes, puis revenez le
dos bien droit.

Après s'être assis   Taille

Dansez le «twist»… avec une chaise

Position debout à côté d'une chaise, mains en appui sur le dossier, genoux collés ensemble et jambes fléchies. Montez sur la pointe des pieds et pivotez de gauche à droite comme si vous dansiez le «twist».

Exercice-Santé   **La respiration**

Ventre bien assis, poumons bien remplis

Prenez la position telle qu'indiquée. Respirez pro-
fondément pour vous oxygéner au maximum. Si vous
voulez améliorer votre respiration, c'est la meilleure
position à retenir.

Debout dans le métro
Jambes

Les moments les plus ternes
cachent des
rebondissements

Jambes légèrement
écartées, bras tendus et dos
droit, mains ouvertes
appuyées. Gardez les
genoux légèrement fléchis
tout le long du trajet et
laissez-vous sautiller au
rythme des secousses pro-
voquées pendant votre randonnée.

Assis dans le métro   **Bras-Buste**

Vous voulez que cela avance plus vite,
mais… poussez bon sang!

Dos bien droit, coudes appuyés contre le dossier,
poussez et maintenez la pression des coudes sur le dossier le plus longtemps possible.

En se levant   Bras

Se détacher de son dossier
avec les bras servant de leviers

Position assise. Pour vous lever, mettez les mains
en avant du siège sur les coins et faites travailler la force
musculaire de vos bras pour vous lever. À pratiquer
régulièrement si vous voulez éviter à votre dos de trop
forcer.

Exercice-Santé

Reposer l'esprit

Ramassez votre énergie
pour en faire profiter votre esprit

Accroupi sur la pointe des pieds, placez les mains vous servant d'appui à plat au sol et déposez la tête sur vos genoux. Cette position favorisera la concentration de vos énergies et le repos de votre esprit.

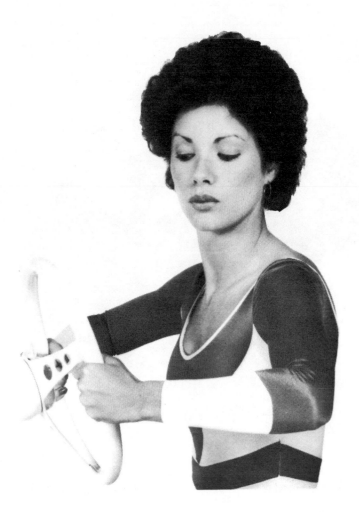

Avant de démarrer   Bras-Épaules

Tirez le volant, la circulation sera meilleure

Avant de démarrer votre voiture, empoignez le volant à deux mains et faites des tractions en tirant de chaque côté.

Au volant   Enlever la tension

Gardez l'attention, mais enlevez la tension

Lorsque vous êtes arrêté ou dans l'attente d'un feu vert et que vous vous sentez fatigué, appliquez votre index sur le côté de la tête en exerçant une légère pression. Un petit truc à ne pas oublier pour demeurer l'esprit vigilant et les sens en alerte.

Après la conduite   **Dos**

En poussant sur le volant,
les courbatures s'envolent

Quand vous avez retiré la clef de contact, joignez
vos mains et appliquez les paumes de mains renversées
sur le haut du volant. Poussez avec les bras bien tendus.
En vous étirant de la sorte, vous ressentirez beaucoup
de soulagement pour vos bras fatigués et votre dos cour-
baturé.

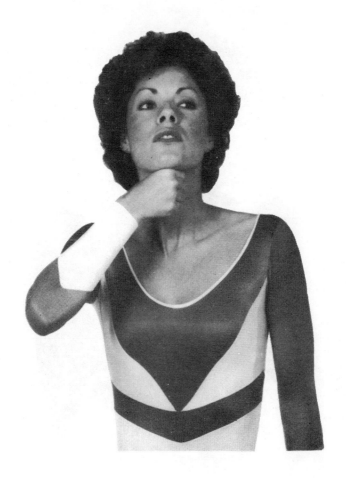

Exercice-Santé   **Les raideurs du cou**

Le poing en support fait fuir les raideurs

Tête droite, placez votre menton en appui sur le poing. Tournez la tête à gauche. Faites quelques petites pressions en poussant votre tête vers l'arrière à l'aide du poing et exercez les mêmes pressions, la tête au centre, puis tournée à droite.

Avant de boire votre café   **Double menton**

Le café à la tasse
et le menton à la tâche

Tête droite, étirez le menton vers l'avant jusqu'au-dessus de la tasse. Forcez par efforts successifs sans bouger les épaules, tenez la pose quelques secondes et revenez la tête droite.

En prenant votre café   **Mains**

Tasse entourée, mains bien soignées

En dégustant votre café, profitez de la chaleur bienfaisante qu'il dégage. Entourez votre tasse des deux mains et changez la position de vos doigts pour que chacun puisse bénéficier de ce réchauffement. Excellent pour enlever la tension et soulager l'arthrite.

Après avoir bu votre café   **Muscles du cou**

Avec ou sans sucre,
c'est bon pour la nuque

Tête droite, étirez le menton pour toucher le rebord de la tasse afin que le cou s'allonge. Les épaules restent fixes. Maintenez la pose quelques secondes et ramenez la tête bien droite. Cet exercice est très bon pour faire travailler les muscles peauciers du cou.

Exercice-Santé　　　　　　　　　　**L'insomnie**

Le sommeil nous séduit
quand on lui résiste

Vous avez de la difficulté à vous endormir?
Allongez-vous sur le côté, les yeux fermés, la tête
appuyée dans la paume de la main et gardez cette position jusqu'à ce que le sommeil vous gagne. Environ cinq
minutes devraient suffire… Beaucoup plus efficace que
de compter des moutons!

Avant la marche

Échauffement

Avant d'engager le pas,
éloignez les jambes de bois

Marchez sur place avec un pas assez rythmé et en
faisant balancer vos bras en cadence. Lorsque vous
levez le genou, gardez le pied pointé.

Durant la marche   **Jambes**

Battez la mesure pour que votre énergie dure

Si vous voulez marcher vingt minutes mais que vous n'avez pas beaucoup de force dans les jambes, aidez-les en faisant une petite halte. Pendant votre arrêt, fléchissez un genou en levant le pied pointé vers l'arrière. Portez la pointe du pied au sol et remontez à quelques reprises pour ensuite recommencer avec l'autre jambe.

Après la marche   Muscles jambiers

Massez les membres, éprouvez la détente

Assis, récompensez vos jambes en les massant de
la cheville jusqu'au genou en passant par le mollet.
Prenez-en conscience, aimez-les en vous disant qu'elles
seront encore plus efficaces demain et après-demain. Il
est primordial d'apprendre à s'occuper de soi.

Exercice-Santé   Le défoulement

Laissez votre énergie circuler librement

Vous êtes énervé, stressé? Il est important que l'être humain se libère de ses tensions. Bras pliés, mains fermées, envoyez le coude vers l'arrière, puis projetez-le en avant assez rapidement en alternant avec l'autre bras. Tout en favorisant le défoulement, ces mouvements vous donneront une impression de puissance et de satisfaction.

Avant d'écrire   **Bras-Buste**

Quand le maestro se fait la main

Appliquez le poing gauche dans la paume de la main droite. Pressez très fort et maintenez quelques secondes. Relâchez et alternez avec le poing droit dans la paume de la main gauche. Ce mouvement favorisera votre concentration en permettant de vous replier sur vos pensées.

En écrivant   **Buste-Épaules**

Vos mains sont-elles fières de ce qu'elles
écrivent?... Laissez vos jointures s'embrasser

En tenant votre plume ou votre crayon dans l'une
des mains fermées, pressez vos poings l'un contre l'autre et maintenez cette pression quelques secondes.
Excellent pour dégourdir les mains quand vous écrivez.

Après vos écrits   **Mains**

Après la satisfaction… la méditation

Mains ouvertes, faites l'appui des doigts tel que démontré. Écartez et poussez vivement les doigts en les tendant au maximum.

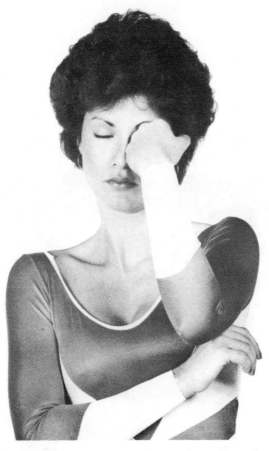

Exercice-Santé   **Les yeux fatigués**

Pressions légères et l'oeil récupère

Appliquez le poing gauche dans l'orbite de l'oeil et
faites une légère pression que vous maintenez quelques
secondes. Alternez. Il est important de ne pas presser
trop fort. Cet exercice fera un bien immense à vos yeux
fatigués.

Avant la lecture du journal   Bras-Épaules

Les grands titres ne vous impressionnent pas?
Étirez-les…

Tenez les coins du journal de chaque main, bras
pliés. Tirez de chaque côté jusqu'au moment où cette
pression vous fasse ressentir une sensation de fatigue
musculaire dans les épaules. Cet exercice permettra de
renforcer le dessus de vos épaules.

Pendant votre lecture   Épaules

Pour cacher les mauvaises nouvelles

Pendant que vous lisez la page de gauche, relevez le coude droit et tournez le coin du journal en le roulant vers l'intérieur. Maintenez jusqu'à ressentir une légère fatigue musculaire au niveau de l'avant-bras. Inversez le mouvement lorsque vous lisez la page de droite.

Après la lecture du journal   **Dos**

Un exercice qui a du caractère

Journal roulé en mains, bras pliés. Élevez les bras, projetez-les derrière la nuque et poussez vos coudes le plus loin possible vers l'arrière. Votre dos appréciera cette bonne nouvelle.

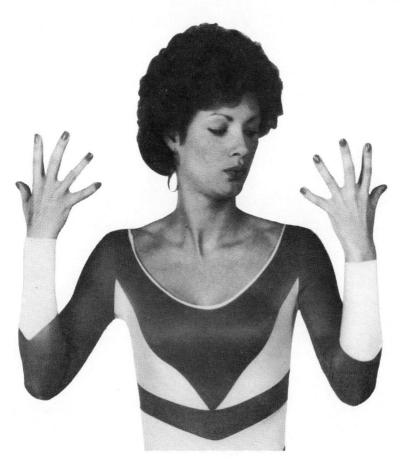

Exercice-Santé   **Les bras engourdis**

Agitez les doigts, revivifiez vos bras

Bras pliés, levez les coudes en écartant les doigts au maximum. Agitez les mains pour les secouer en tous sens. Bien exécuté, c'est-à-dire les avant-bras vers le haut et non les bras pendants, ce mouvement rétablira rapidement votre circulation.

SECTION III

PROGRAMMES-VACANCES
ET
EXERCICES-SANTÉ

Avant les vacances   **Ventre**

On se sert la ceinture pour des vacances
que l'on accueille à bras ouverts

Couché par terre, jambes pliées et croisées l'une
sur l'autre. Relevez le tronc jusqu'à la position assise en
allongeant les bras à l'horizontale et en gardant toujours
les jambes croisées. Cet exercice raffermira votre ventre
et lui donnera meilleure apparence.

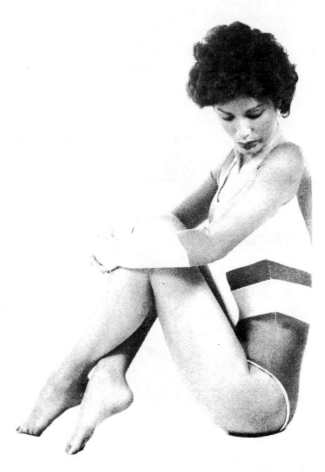

Durant vos vacances   **Ventre**

Mouvement discret qu'on ne voit pas
et tellement bon que votre ventre en redemandera

Après avoir pris du soleil, assis dans le sable, jambes pliées et croisées l'une sur l'autre. Rentrez le ventre au maximum, puis relâchez. Rentrez à nouveau, relâchez.

Après les vacances   Ventre

Votre ventre revient du Sud?
Faites-lui retrouver ses bonnes habitudes

Couché par terre, coudes pliés et mains ouvertes avec les extrémités des doigts juxtaposés. Jambes pliées et croisées l'une sur l'autre, relevez le tronc jusqu'à la position assise en gardant toujours la position de départ.

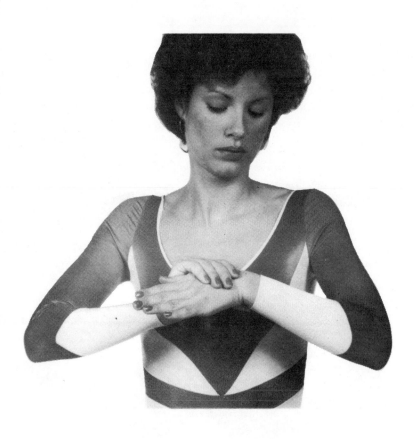

Exercice-Santé

L'enflure des mains

Donnez un coup de main
à l'autre qui en a besoin

Empoignez votre main au niveau du poignet. Faites de légères pressions en descendant jusqu'au bout des doigts et en remontant le côté de la main, comme un mouvement vibratoire. Alternez en changeant de main. Ce massage bénéfique fera disparaître l'enflure de vos mains.

Avant les vacances   **Jambes**

Encouragez vos muscles…
vos jambes devront supporter le poids des valises

Position assise, jambes allongées, saisissez le mollet de l'intérieur et ramenez le genou vers vous en gardant le dos bien droit et le pied pointé. Changez de jambe.

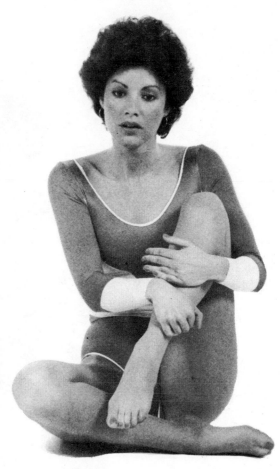

Durant vos vacances   **Jambes**

Soignez vos jambes,
elles danseront mieux ce soir!

Assis dans le sable, une jambe croisée, l'autre pliée, empoignez votre cheville et faites un mouvement de bercement de l'avant à l'arrière. Laissez-vous bercer avec la tête déjà pleine de souvenirs exotiques.

Après les vacances · Jambes

Même au repos du guerrier,
il faut remettre le pied à l'étrier

Position assise, jambes tendues, étirez bien les bras vers le haut en ayant les paumes de mains renversées. Levez une jambe à huit ou dix pouces du sol et reposez-la. Recommencez à quelques reprises, puis alternez avec l'autre jambe.

Exercice-Santé   **Les varices**

Cuisses qui roulent n'amassent pas... varices

À plat ventre, les bras tendus, en appui sur les mains. Avec un rythme lent, une jambe à la fois, faites rouler au sol le genou et la cuisse. Voilà un mouvement à retenir si vous voulez lutter efficacement contre les varices puisqu'il favorise une bonne circulation, facteur essentiel pour les combattre.

Avant les vacances　　　　　　　　**Muscles fessiers**

Avancer assis
vous fera mieux paraître debout

En position assise, le dos bien droit, jambes et bras allongés. Sans plier ou lever les genoux, marchez sur les fesses en glissant une jambe vers l'avant puis l'autre. Vos muscles fessiers apprécieront cette randonnée.

Durant vos vacances　　　　**Muscles fessiers**

Les hanches bien campées,
retrouvez le galbe rêvé

En position assise, jambes croisées et relevées,
empoignez les genoux dans vos bras croisés et avancez
en laissant glisser les fesses sur le sable chaud.

Après les vacances   **Muscles fessiers**

Vacances terminées, on se remet en selle

En position assise, le dos bien droit, marchez sur place. Pendant que vous pliez la jambe et le bras gauches, tendez la jambe et le bras droits. Inversez le mouvement: jambe et bras droits pliés, jambe et bras gauches tendus.

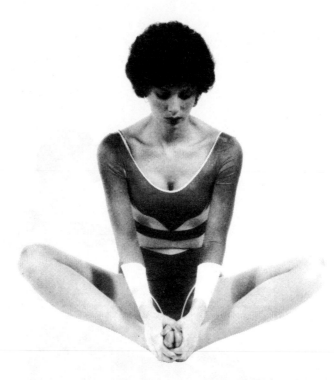

Exercice-Santé   L'enflure des pieds

Faites un pied de nez à vos enflures

Assis au sol, jambes pliées, genoux écartés. Placez vos pieds en forme d'accent circonflexe en joignant la pointe de vos orteils et en écartant les talons. Empoignez les dix orteils avec vos deux mains, faites une pression et maintenez-la quelques secondes. Placez maintenant vos pieds en forme de V en joignant vos talons et en écartant la pointe des orteils. Empoignez cette fois vos chevilles à deux mains, faites une pression sur vos talons et maintenez-la quelques secondes. Alternez ces deux mouvements qui apaiseront l'enflure de vos pieds.

Avant les vacances   **Hanches**

Avant de partir, placez vos soucis…
et vos jambes de côté

Jambes pliées de côté, genoux collés, talons aux fesses. À l'aide des mains qui saisissent les genoux, levez les jambes à cinq ou six pouces du sol, puis descendez. Changez de côté.

Durant vos vacances   **Hanches**

Tenez les rênes et guidez vos hanches

Le corps rempli de soleil, bien installé sur la plage dans la position assise, croisez les jambes, une par-dessus la cuisse de l'autre en appuyant le pied sur l'inté-rieur de cette cuisse. Maintenez la cheville fixe après l'avoir saisie des deux mains et faites de petits batte-ments avec le genou en le descendant et le montant à votre rythme.

Après les vacances   **Hanches**

Encore quelques notes de musique en tête?
Vos jambes également s'en souviennent

Jambes pliées de côté, genoux ensemble, les talons aux fesses. Le bout des doigts en appui au sol, faites un mouvement de rotation de gauche à droite en gardant toujours les jambes pliées.

Exercice-Santé   **La raideur des orteils**

Traitez les raideurs avec douceur,
elles partiront sur la pointe des pieds

À genoux, pliez une jambe et levez-la pour être sur la pointe du pied. Appuyez les mains sur les côtés du pied pour vous aider à replier les orteils vers l'arrière, puis faites-les revenir vers l'avant. Alternez avec l'autre pied.

Avant les vacances   **Taille**

Planez déjà… vos vacances approchent!

À genoux, buste droit, les bras tendus en avant, les talons joints. Laissez-vous aller en arrière de façon à toucher la pointe des pieds, puis revenez les bras tendus en avant. Projetez-vous vers l'arrière en alternant d'un côté et de l'autre.

Durant vos vacances   **Taille**

Grand chef prend rythme des vagues

Assis dans le sable sur la plage, jambes pliées et croisées l'une sur l'autre, balancez le tronc de gauche à droite en laissant vos mains sur les genoux.

Après les vacances   Taille

Regardez bien les changements...
ils vous réservent de belles surprises

À genoux, le dos bien droit, coudes tirés en arrière
avec les mains derrière la nuque, balancez de gauche à
droite en faisant de bonnes flexions d'un côté et de l'autre.

Exercice-Santé   **Les douleurs aux genoux**

Quand les genoux sont en santé,
les jambes s'en balancent

Assis par terre, jambes allongées, levez une jambe
en la pliant légèrement. Avec les deux mains, allez saisir
votre genou et massez-le de gauche à droite avec
vigueur en faisant un mouvement circulaire comme si
vous dévissiez un pot. Ramenez la jambe au sol et
recommencez avec l'autre. Pour calmer les douleurs
aux genoux, cet exercice ne tardera pas à faire ses preu-
ves.

CONCLUSION

Si vous êtes à court de mots, mais aussi si vous parlez trop, n'oubliez surtout pas votre corps. Laissez-le parler à son tour, il en a long à dire. Surtout que lui n'oublie rien. La fumée que vous avalez, vos excès alimentaires, les raideurs, les douleurs de vos muscles, votre nervosité... Permettez à votre énergie de circuler librement. Vous en emmagasinez beaucoup? Dépensez-en beaucoup. Vous fonctionnez moyennement? Dépensez-la moyennement. L'harmonie réside dans le juste équilibre.

Vous avez entre les mains une fantastique machine, montrez-vous digne mécanicien. Votre corps est unique, c'est tout de même suffisant pour en prendre grandement soin... Oui?

Liste des parutions aux
ÉDITIONS
Quebecor

Collection romans

PAUL DÉSORMEAUX, ÉTUDIANT
Marc-André Poissant

LE MIROIR DE LA FOLIE
Marc-André Poissant

JOURNAL DE NUIT
Marc-André Poissant

LE DIVORCÉ
Marc-André Poissant

Collection témoignages

JE VIS MON ALCOOLISME
Ginette Ravel

VIRGINIE PROSTITUÉE
Virginie Vilaire

UN VOYOU PARMI LES STARS
André Rufiange

JACQUES MATTI
Jacques Matti

UN TENDRE AMOUR, VIRGINIE PROSTITUÉE
Virginie Vilaire

STRIP-TEASE
Ginette Deschêsnes

Collection humour

ANDRÉ RUFIANGE À SON MEILLEUR
André Rufiange

RIRE AVEC RUFI
André Rufiange

VIENS FAIRE L'HUMOUR
Doris Lussier

SILENCE DANS LA CLASSE
André Rufiange

Collection guides pratiques

LES CHIENS
Marcel Monette

LE GUIDE DE LA BEAUTÉ
Mariette Lévesque

ÉCHEC ET MAT PAR LES NOIRS
Henri Tranquille

LA BIORYTHMIE RENDUE FACILE
Denis Chartrand et Jean Laurac

LES CHATS
Françoise Gélinas

STOP! 10 MÉTHODES POUR ARRÊTER DE FUMER
Pierre Giroux

Collection ésotérisme

LA PREUVE DE LA VIE APRÈS LA MORT
Martin Ébon

CONNAISSEZ-VOUS VOS RÊVES?
Annie Rioux

VOTRE VIE AMOUREUSE ET LES ASTRES
Huguette Hirsig

LE BONHEUR PAR L'HYPNOSE
Domineau

Collection alimentation et santé

COMMENT ÉCRASER
Montreuil et Gauthier

LES BONS PLATS DE SOEUR BERTHE
Soeur Berthe

CELLULITE VAINCUE
Dr Jean-Marie Marineau

LES RECETTES DE TERRE HUMAINE
Comédiens et artisans

CUISINE TRADITIONNELLE
Soeur Berthe

GUIDE FAMILIAL DES URGENCES À DOMICILE
Dr Michel Petit et Françoise Jolin

MAIGRIR PAR LA MOTIVATION
Dr Maurice Larocque

Collection sexualité

ORGASME
Leslie Jo Piccolo

JOUISSANCE
Léonard H. Gross

POUR FEMMES SEULEMENT
Lynn Barber

FAIRE L'AMOUR À UNE FEMME
James L. Santini

LES FANTAISIES SECRÈTES DES FEMMES
Éva Pascal

LES CHEMINS DE L'ORGASME
Sylvia Kayes

DÉTENTE SENSUELLE
Sandra Collins

LES LESBIENNES
Érika Lange

FAIRE L'AMOUR À UN HOMME
Patricia Johnson

Hors collection

MOMENTS TENDRES
Serge Laprade

MOMENTS TENDRES, VOL. II
Serge Laprade

TON JOURNAL INTIME
Nathalie Simard

ALLÔ TOUT L'MONDE
Jacques Boulanger

Collection pour elle

BAS LES PATTES! HARCÈLEMENT SEXUEL
de Mariette Lévesque

Collection psychologie

LA PEINE D'AMOUR
Françoise Laurent

COMMENT VAINCRE LE STRESS
Dr W.G. West

Collection célébrités

MA VIE DE STRIP-TEASEUSE
Lili St-Cyr

OLIVIER GUIMOND
Manon Guimond

GRACE DE MONACO
Estelle Monière

LA VÉRITABLE HISTOIRE DE JEAN DRAPEAU
Guy Roy

LES HOMMES DE MA VIE
Danielle Ouimet

LADY DIANA
Françoise Gélinas

JOHNNY ROUGEAU
Johnny Rougeau

Collection sport

GRETZKY
Terry Jones

**LE DERNIER VIRAGE,
5 ANS AVEC GILLES VILLENEUVE**
Christian Tortora

Collection famille

LA PREMIÈRE ANNÉE DE BÉBÉ
Dr Burton L. White

Collection fiction

HULK
Richard S. Mayer

Vous intéresse-t-il d'être tenu au courant des livres
publiés par les Éditions Quebecor?

Pour de plus amples informations, il vous suffit d'écrire à
FAX SERVICES
225, rue Roy est
Montréal, Québec
H2W 2N6

Exercices personnels

Exercices personnels

Exercices personnels

Exercices personnels

Exercices personnels

Exercices personnels

Exercices personnels

Achevé d'imprimer
en mars mil neuf cent quatre-vingt-trois
sur les presses de l'Imprimerie Lebonfon-La Frontière
Division Groupe Quebecor inc.
Val d'Or, P.Q.
Imprimé au Canada